CO
CLÁSIC

20 mil leguas de viaje submarino
Alicia en el país de las maravillas
Aventuras de Tom Sawyer, Las
Cabaña del tío Tom, La
Canción de navidad
Capitán de quince años, Un
Cid Campeador, El
Corazón, diario de un niño
Diario de Ana Frank, El
Frankenstein
Hombrecitos
Huckleberry Finn
Ilíada, La
Isla del tesoro, La
Moby Dick
Mujercitas
Odisea, La
Periquillo Sarniento, El
Príncipe Feliz, El
Principito, El
Quijote de la Mancha, El
Robin Hood
Robinson Crusoe
Viaje al centro de la Tierra
Vuelta al mundo en 80 días, La

COLECCIONES

Belleza
Negocios
Superación personal
Salud
Familia
Literatura infantil
Literatura juvenil
Ciencia para niños
Con los pelos de punta
Pequeños valientes
¡Que la fuerza te acompañe!
Juegos y acertijos
Manualidades
Cultural
Medicina alternativa
Clásicos para niños
Computación
Didáctica
New Age
Esoterismo
Historia para niños
Humorismo
Interés general
Compendios de bolsillo
Cocina
Inspiracional
Ajedrez
Pokémon
B. Traven
Disney pasatiempos
Mad Science
Abracadabra
Biografías para niños
Clásicos juveniles

Óscar Wilde

El Príncipe Feliz

SELECTOR
actualidad editorial
Doctor Erazo 120 Colonia Doctores México 06720, D.F.
Tel. 55 88 72 72 Fax. 57 61 57 16

EL PRÍNCIPE FELIZ
Autor: *Óscar Wilde*
Adaptación del original en inglés: *Catalina Barrios Pérez*
Ilustración de interiores: Eduardo Carlos Chávez Echevarría
Diseño de portada: Mónica Jácome y Sergio Osorio

ISBN-13:978-970-643-629-0
ISBN-10:970-643-629-4

Quinta reimpresión. Marzo de 2007.

Sistema de clasificación Melvil Dewey

823
W95
2003

Wilde, Óscar; 1856-1900.
El Príncipe Feliz / Óscar Wilde
Cd. De México, México: Selector, 2003.
80 p.

ISBN: 970-643-629-4

1. Literatura. 2. Narrativa. 3. Cuento.

Impreso y encuadernado en México.
Printed and bound in México

Contenido

Prólogo

Óscar Wilde escribió *El Príncipe Feliz* hace más de cien años. Se lo dedicó a sus hijos; seguramente quiso enseñarles cómo se puede ser bondadoso, compañero y compasivo a través de una historia fantástica, en la que se cuenta de un príncipe que fue feliz mientras estuvo vivo, pues al morir le construyeron una estatua y la colocaron en un lugar alto, y desde ese sitio fue testigo del inmenso dolor que padecían los habitantes de su ciudad. Con la ayuda de una noble golondrina, podemos ver que el corazón de plomo del Príncipe Feliz es una fuente inagotable de generosidad, justicia y caridad.

Ahora, en el siglo *XXI*, dedicamos esta adaptación a todos los niños lectores de Selector.

El nido de oro

En lo alto de la ciudad, sobre una columna esbelta, se encontraba la estatua del Príncipe Feliz. Estaba completamente cubierta de láminas de oro puro, sus ojos eran dos zafiros brillantes y en el puño de su espada resplandecía un gran rubí rojo. Era una estatua muy admirada.

—Es muy hermosa, pero poco útil —opinaba un vecino importante de la ciudad, aunque en realidad no era así.

—¿Por qué no eres como el Príncipe Feliz? Él no se queja por cualquier cosa —decía una madre a su hijo que lloraba porque quería la Luna.

—Me da gusto que exista en el mundo alguien realmente feliz —balbuceó un hombre desilusionado cuando miraba la maravillosa estatua.

—¡Parece un ángel! —dijeron unos niños.

—¿Cómo lo saben si nunca han visto uno? —les preguntó su maestro de Matemáticas.

—Pero los hemos visto en sueños —respondieron ellos.

Una noche voló sobre la ciudad una pequeña golondrina. Sus amigas se habían marchado a Egipto seis semanas antes; ella se retrasó porque estaba perdidamente enamorada de un junco de espigado talle que conoció a principios de la primavera.

—¿Quieres ser mi novio? —le preguntó la golondrina al junco en cuanto lo vió.

El junco aceptó haciendo una profunda reverencia. Entonces la golondrina muy contenta voló y voló alrededor de él.

—Es una relación ridícula —opinaban las demás golondrinas—; es muy pobre y tiene demasiada familia.

Y era verdad, pues el río estaba repleto de juncos. Cuando llegó el otoño todas las golondrinas partieron.

Al quedarse sola, la golondrina empezó a cansarse.

—No tiene conversación; además, a mí me gusta viajar —pensaba la golondrina respecto al junco.

—¿Vienes conmigo? —le dijo ella. Pero el junco se negó moviendo la cabeza.

—Te has estado burlando de mí. Me voy a las Pirámides. ¡Adiós!

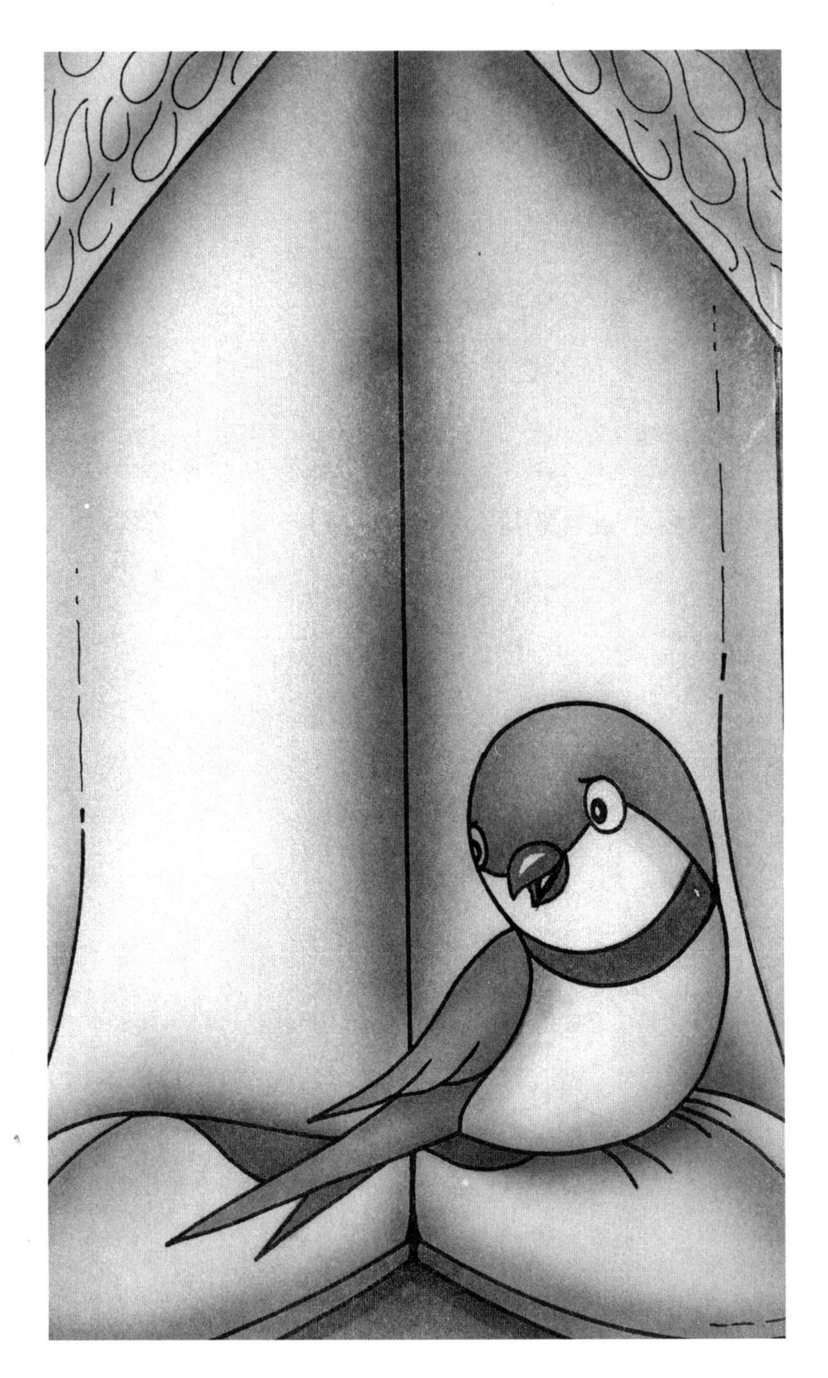

Surcó el cielo durante todo el día, y cuando anochecía llegó a la ciudad.

—¿Dónde me refugiaré? —se preguntó —. Espero que este lugar me pueda recibir.

Entonces vio la estatua sobre la alta columna; le pareció un buen sitio para protegerse y se acomodó entre los pies del Príncipe Feliz.

—Tengo una habitación de oro —exclamó suavemente y se preparó para dormir. Pero en el momento en que ponía su cabeza bajo el ala, le cayó una gran gota de agua.

—¡Qué raro! —dijo la golondrina—. No hay una sola nube en el cielo; sin embargo, está lloviendo. Que clima tan espantoso.

En aquel momento le cayó otra gota.

—¿Para qué sirve esta estatua si no me cubre de la lluvia? Buscaré una chimenea —dijo.

Y decidió partir; pero antes de abrir las alas le cayó una gota más. Miró hacia arriba y vio... ¡Ah! ¿Qué fue lo que vio?

El rubí y el dedal

Los ojos del Príncipe Feliz no podían contener el llanto, sus lágrimas rodaban por sus mejillas de oro.

—¿Quién eres? —preguntó la golondrina.

—Soy el Príncipe Feliz.

—Y entonces, ¿por qué lloras? ¡Mira como me has empapado!

—Cuando estaba vivo y tenía corazón humano —contestó la estatua—, nunca supe lo que eran las lágrimas, porque vivía en un palacio donde se le negaba la entrada al sufrimiento. De día jugaba en el jardín y de noche bailaba. Nunca pensé qué ocurría al otro lado de la altísima barda que rodeaba el jardín. Mis súbditos me llamaban el Príncipe Feliz. Así viví y así morí. Pero ahora que estoy muerto me han puesto en este lugar desde donde veo la miseria y el dolor de mi ciudad, y aunque mi corazón es de plomo, sólo me da por llorar.

La golondrina se sorprendió de que el corazón no fuera de oro puro, pero no comentó nada.

—Muy lejos —continuó la estatua—, hay una pobre casa; una de sus ventanas está abierta, y observo a una mujer sentada a la mesa. Se ve desmejorada, sus manos están lastimadas por los piquetes de aguja. Es costurera y borda un fino vestido para la dama de honor más bella de la Corte. En un rincón de la habitación está su hijito con fiebre. La madre llora porque sólo puede darle agua de río. Golondrina, golondrina, golondrinita, ¿le llevarías el rubí de mi espada?

—Me esperan en Egipto —respondió la golondrina—. Mis amigas estarán volando sobre el río Nilo.

—Golondrina, golondrina, golondrinita —repitió el Príncipe—, ¿puedes ser mi mensajera sólo por esta noche? El niño está muy sediento, y la madre muy triste...

—No me gustan los niños —contestó la golondrina—. En el verano pasado cuando revoloteaba sobre el río, los dos hijos del molinero me arrojaban piedras, y aunque nunca me pegaron, eso es una falta de respeto.

Pero al ver tan triste al Príncipe, la golondrina se conmovió y aceptó quedarse esa noche y ser su mensajera.

La golondrina levantó el vuelo llevando el rubí en el pico. Al pasar por el Palacio escuchó que habría fiesta. Una hermosa señorita salió a la terraza a platicar con su novio.

—Espero que mi vestido esté listo para el baile —decía ella—, lo mandé bordar con pasionarias, ¡pero las costureras son tan flojas!

Prosiguió su camino hasta que por fin llegó a la pobre casa y vio al niño en su cama, agitado; su madre, muerta de cansancio, se había quedado dormida. La golondrina entró y dejó el rubí a un lado del dedal de la costurera. Una vez que cumplió con su misión, voló hacia el Príncipe y le contó lo sucedido.

— Es curioso —comentó ella—, pero a pesar del frío me siento muy bien.

—Es porque has hecho una buena acción —dijo el Príncipe.

Cuando amaneció, la avecilla fue al río y se bañó. Sólo de pensar que esa noche partiría a Egipto estaba contentísima.

Un zafiro entre las flores

Durante el día, visitó todos los monumentos públicos y cuando la Luna apareció, la golondrina regresó con el Príncipe para despedirse.

—Golondrina, golondrina, golondrinita —dijo el Príncipe—, ¿te quedarías conmigo una noche más? Allá abajo, en la ciudad, veo a un muchacho en un desván. Está inclinado sobre un escritorio lleno de papeles, en un vaso hay un pequeño ramo de violetas marchitas. Intenta terminar una obra para el director del teatro; pero tiene demasiado frío para seguir escribiendo. No tiene fuego para calentarse y está débil porque no ha comido.

—De acuerdo, me quedaré otra noche más —dijo la golondrina —, ¿le llevo otro rubí?

—Ya no tengo rubíes —explicó el Príncipe —, lo que puedo dar son mis ojos. Son dos zafiros únicos, los trajeron de la India hace miles de años. Arráncame uno y llévaselo para que se lo venda al joyero y compre leña y comida.

Incapaz de hacerlo, la golondrina empezó a llorar; pero el Príncipe insistió y la golondrina tuvo que desprender el ojo y cumplir la voluntad de Su Alteza.

Entró por un agujero que había en el techo. Encontró al muchacho con la cabeza entre las manos; la golondrina aprovechó ese momento y colocó en el mejor lugar la hermosa joya.

Cuando el joven levantó su rostro vio el hermoso zafiro entre las flores y se puso muy contento.

EL zafiro que cayó del cielo

Al siguiente día, la golondrina se dirigió al puerto. Cuando salió la Luna volvió con el Príncipe para decirle adiós.

—Golondrina, golondrina, golondrinita —dijo el Príncipe—, ¿te vas a quedar conmigo otra noche más?

—Es invierno —replicó la golondrina—, y la fría nieve no tarda en llegar. En Egipto el Sol se posa sobre las palmeras verdes, y los cocodrilos en el lodo miran perezosos a su alrededor. Mi querido Príncipe, nunca te olvidaré, te traeré el rubí más rojo que la rosa más roja, y el zafiro será tan azul como el océano, en lugar de los que regalaste.

—Allá, en la plaza de abajo —dijo el Príncipe Feliz —, hay una pequeña cerillera. Se le cayeron los cerillos en el arroyo. Su padre le pegará si no vuelve a la casa con dinero. Llora, no tiene zapatos ni calcetas, y su cabeza está descubierta, padece frío; quítame el otro ojo y dáselo.

Una vez más, la golondrina se quedó junto al Príncipe; con gran dolor le arrancó el otro ojo y voló con él. Descendió, soltó la joya en la palma de la mano de la niña y regresó a su nido de oro.

—Ahora que estás ciego —le aseguró—, me quedaré para siempre contigo.

—No, golondrinita —dijo el Príncipe—, debes irte a Egipto.

—Me quedaré contigo para siempre —reiteró la golondrina, y se durmió a sus pies.

Un frío invierno

El día siguiente se la pasó sobre el hombro del Príncipe contándole historias de lo que había visto en tierras extrañas.

—Me platicas cosas maravillosas —dijo el Príncipe—, pero más me asombra el sufrimiento de la gente. Recorre mi ciudad y dime lo que veas.

La golondrina así lo hizo y pudo ver a los ricos alegrarse en sus estupendas casas, mientras los pordioseros se sentaban a las puertas. Contempló las tristes y pálidas caras de niños hambrientos.

De vuelta con el Príncipe, le relató lo que había observado.

—Estoy revestido de láminas de oro —manifestó el Príncipe—, quita una por una y dáselas a los pobres.

La golondrina cumplió la orden y les repartió hoja por hoja. Los niños reían y jugaban con buen ánimo, mientras que la estatua, ahora, lucía gris y opaca.

Vino la nieve, después el hielo. La golondrina tenía cada vez más frío; aun así, no quería dejar al Príncipe.

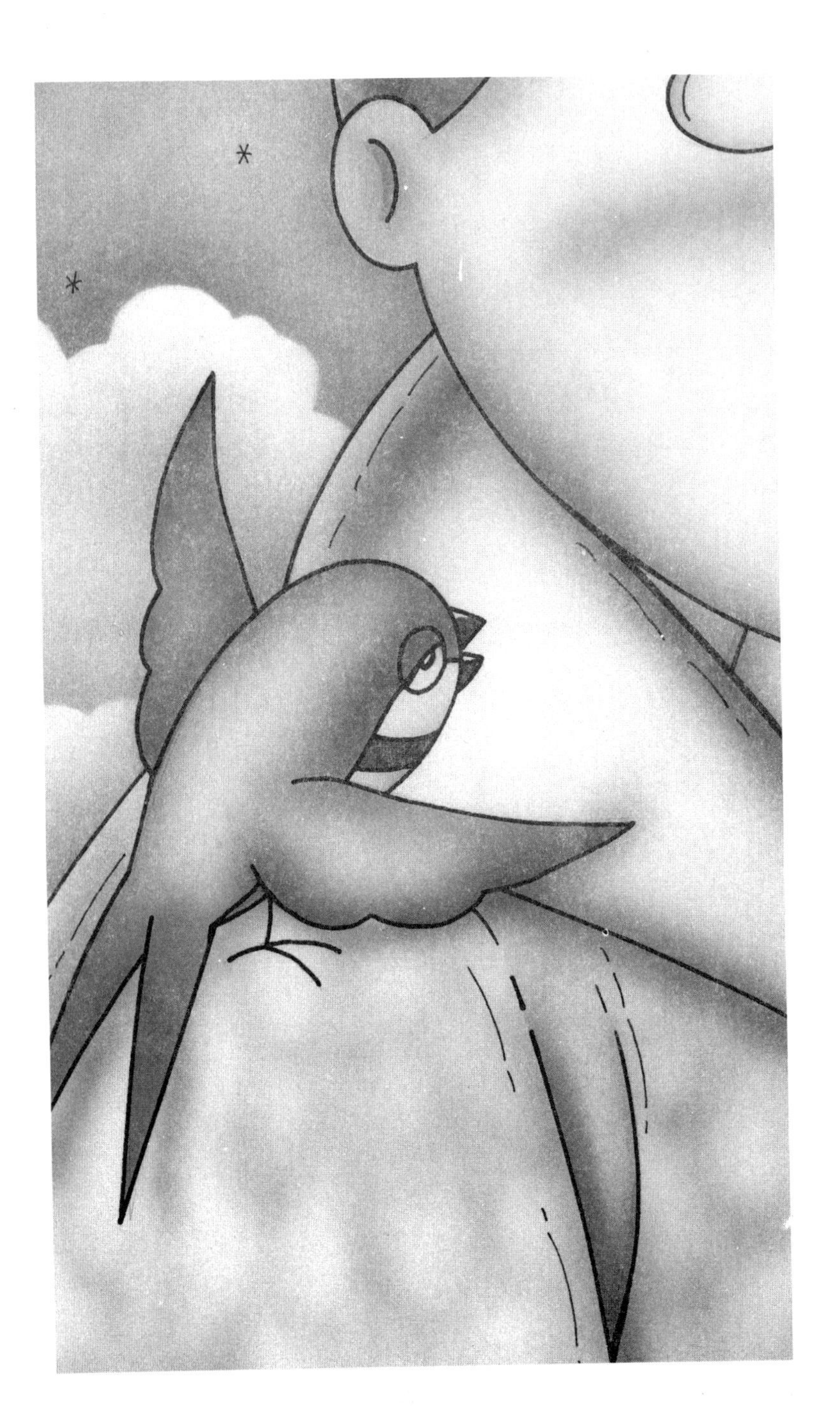

Un día supo que iba a morir.

Sólo tuvo fuerzas para elevarse por última vez hasta el hombro del Príncipe.

—¡Adiós, mi amado Príncipe! —murmuró la golondrina.

— Me alegra que te vayas a Egipto —dijo el Príncipe.

—No me voy a Egipto, si no a la Morada de la Muerte.

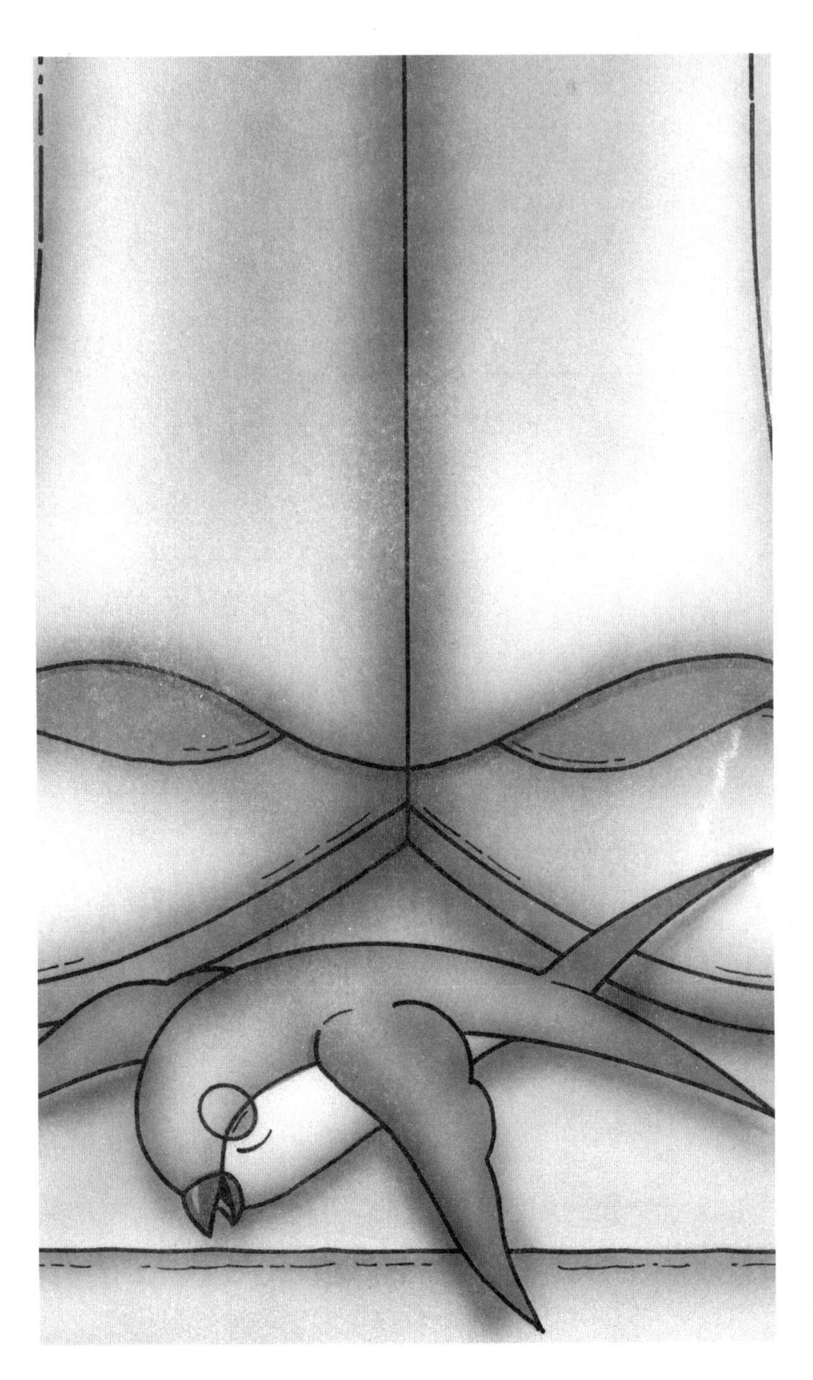

La golondrina besó los labios del Príncipe y cayó muerta a sus pies. En ese instante se escuchó en el interior de la estatua como si algo se hubiera roto... El corazón de plomo se había partido en dos.

Al siguiente día, muy temprano, el alcalde de la ciudad se paseaba por la plaza junto con otras autoridades. Al ver la estatua exclamó:

—¡Dios mío! ¡Qué haraposo se ve el Príncipe! Sin el rubí, los zafiros y sin su cubierta de oro parece un mendigo. ¡Y hasta un pájaro muerto a sus pies!

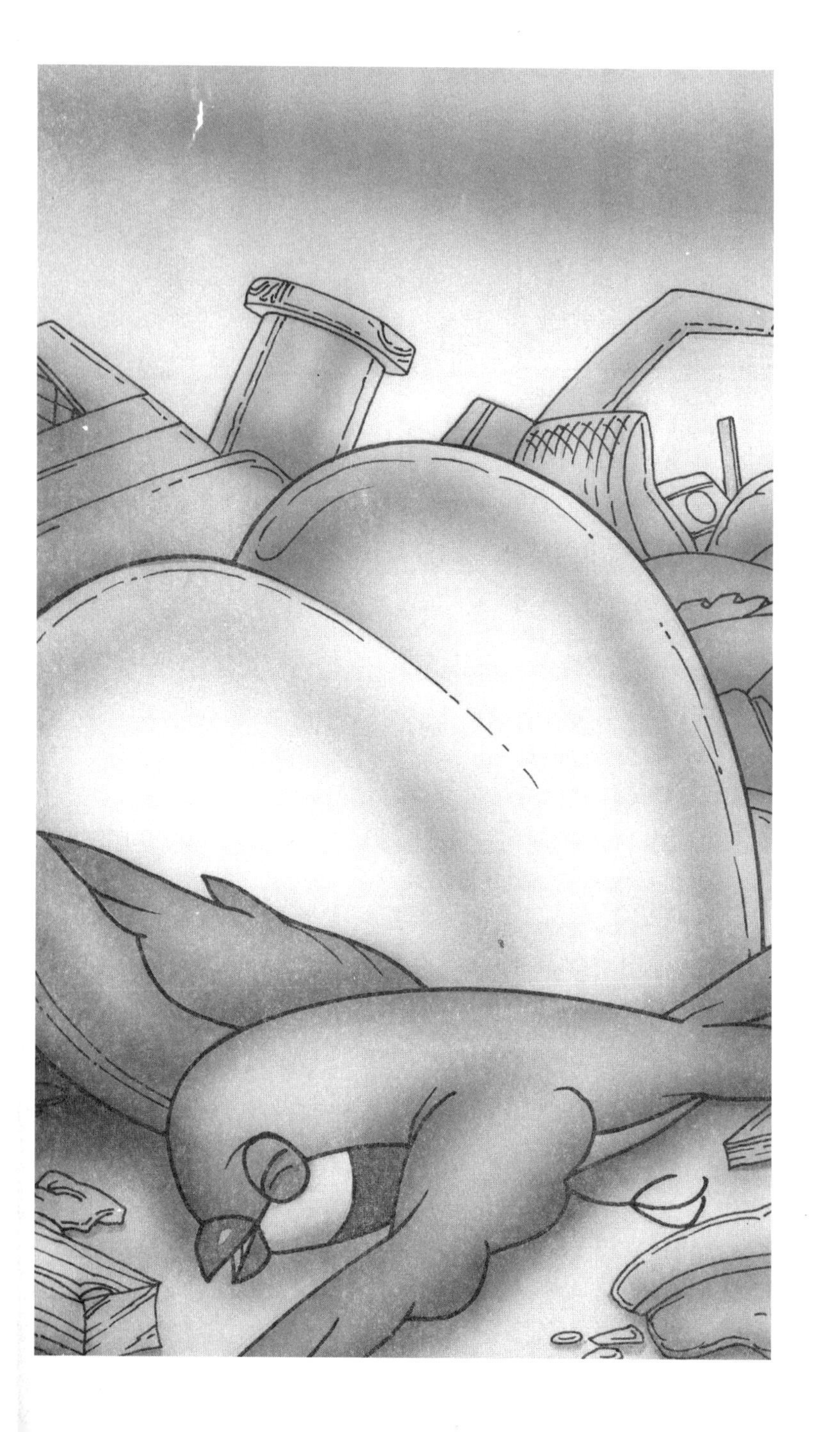

Después de discutirlo, acordaron derribar la estatua del Príncipe Feliz y fundirla. Para sorpresa de los plomeros, el corazón de la estatua no se pudo fundir y lo arrojaron a la basura junto a la golondrina muerta.

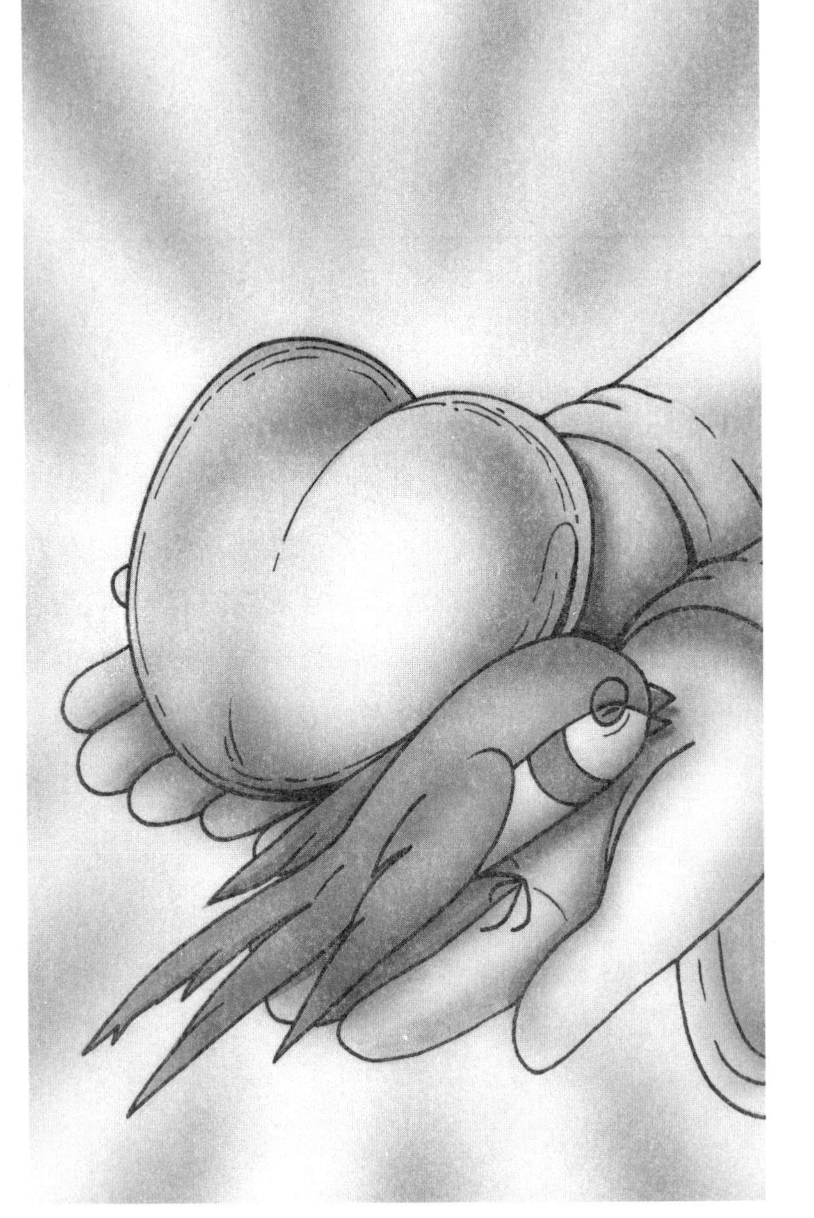

—Tráeme las dos cosas de mayor valor que haya en la ciudad —ordenó Dios a uno de sus ángeles. Y el ángel le llevó el corazón de plomo y el ave inerte.

—Has elegido bien —dijo Dios—, en el Jardín del Paraíso este pajarillo cantará para siempre, y en mi Ciudad de Oro el Príncipe Feliz entonará alabanzas.

Esta edición se imprimió en Marzo de 2007. Impresos
Editoriales. Agapando No. 91 México, D.F. 04890.

DOBLAR Y PEGAR

SU OPINIÓN CUENTA

Nombre ....

Dirección ....

Calle y número ....

Teléfono ....

Correo electrónico ....

Colonia .... **Delegación** ....

C.P .... **Ciudad/Municipio** ....

Estado .... **País** ....

Ocupación .... **Edad** ....

Lugar de compra ....

Temas de interés:

- ☐ *Negocios*
- ☐ *Superación personal*
- ☐ *Motivación*
- ☐ *New Age*
- ☐ *Esoterismo*
- ☐ *Salud*
- ☐ *Belleza*
- ☐ *Familia*
- ☐ *Psicología infantil*
- ☐ *Pareja*
- ☐ *Cocina*
- ☐ *Literatura infantil*
- ☐ *Literatura juvenil*
- ☐ *Cuento*
- ☐ *Novela*
- ☐ *Ciencia para niños*
- ☐ *Didáctica*
- ☐ *Juegos y acertijos*
- ☐ *Manualidades*
- ☐ *Humorismo*
- ☐ *Interés general*
- ☐ *Otros*

¿Cómo se enteró de la existencia del libro?

- ☐ *Punto de venta*
- ☐ *Recomendación*
- ☐ *Periódico*
- ☐ *Revista*
- ☐ *Radio*
- ☐ *Televisión*

Otros ....

Sugerencias ....

El Príncipe Feliz

RESPUESTAS A PROMOCIONES CULTURALES
(ADMINISTRACIÓN)
SOLAMENTE SERVICIO NACIONAL

CORRESPONDENCIA
RP09-0323
AUTORIZADO POR SEPOMEX

EL PORTE SERÁ PAGADO:

Selector S.A. de C.V.

Administración de correos No. 7
Código Postal 06720, México D.F.